*Pour Ernest, Lola et Adrien*
C. D.

ISBN 978-2-211-23502-0
© 2018, l'école des loisirs, Paris.
Loi numéro 49 956 du 16 juillet 1949 sur les publications destinées à la jeunesse : juin 2018.
Dépôt légal : juin 2018.
Imprimé en Malaisie par Tien Wah Press.
*www.ecoledesloisirs.fr*

# Kimiko

# Minusculette

## en été

Illustrations de Christine Davenier

loulou & Cie
l'école des loisirs
11, rue de Sèvres, Paris 6ᵉ

« Viens, Gustave, on va se baigner ! » dit Minusculette la fée du jardin. « Avec cette chaleur, j'aimerais bien », répond le petit Tamia, « mais j'ai trop peur des crapauds ! »

«À cette heure-ci, ils doivent faire la sieste.
J'ai remarqué qu'ils ne bougeaient pas beaucoup
ces derniers temps. Allez, viens!»

Youpi !

«Chuuuut!» dit soudain Minusculette,
«Ne réveillons pas les crapauds!»

«Oui ! Il ne manquerait plus qu'ils nous gobent
avec leurs grosses langues gluantes !» chuchote Gustave
en plongeant de nouveau.

«Que c'est agréable et calme!»
se dit Minusculette.

«Tiens ? Mais où est passé Gustave ?
Gustave !» appelle-t-elle doucement en regardant tout autour d'elle.
«J'espère qu'il n'a pas été imprudent…» s'inquiète-t-elle.

Elle s'approche discrètement des crapauds.
« Non, pas possible qu'ils aient attrapé Gustave… » se dit-elle.

En plongeant sous l'eau, Minusculette remarque de jolis cailloux qui forment un chemin vers un trou dans le rocher.

Minusculette s'enfonce dans un petit tunnel étroit
et débouche dans une pièce hors de l'eau,
une grotte souterraine.

«Voilà Minusculette!» s'exclame Gustave.
«Mille bonjours, mon amie! Tu es la bienvenue!
Un peu de thé? Des gâteaux?»

«Mais qui êtes-vous ?» s'étonne Minusculette
devant cette drôle de créature.

« Je m'appelle Pépita ! Je suis une axolotl mexicaine.
Viens goûter mes petits gâteaux ! »
« Ils chont exchellents ! » dit Gustave, la bouche pleine.

«Axolotl?» demande Minusculette.
«Du Mexique. Mon pays est loin. Quand je suis arrivée ici,
j'ai trouvé que cet étang était très calme, contrairement
à ceux de chez moi, alors j'ai décidé de m'y installer!»

«Je suis cuisinière. Malheureusement, je n'ai pas beaucoup d'amis à inviter. Les têtards viennent au début, mais quand ils deviennent crapauds, ils sont trop gros pour entrer dans ma maison!
Ça me fait plaisir d'avoir de nouveaux invités comme vous!»

Il se fait tard, c'est l'heure de rentrer.

« J'ai un peu trop mangé ! » soupire Gustave.

« Je ne vais pas pouvoir nager ! »

« Il y a un autre chemin, suivez-moi ! »

Pépita, portant un gâteau, leur montre un passage

au fond de la grotte qui les emmène directement dehors.

«C'est là que je dépose mes gâteaux et mes plats
pour les crapauds, ils adorent ça! Mille mercis, les amis!
Revenez vite me voir! La prochaine fois, je ferai des tacos,
une spécialité de mon pays!»

«Je comprends pourquoi
les crapauds dorment tout le temps!
Ils mangent trop!» dit Minusculette.
«Ils en ont de la chance, je reviendrai voir Pépita!» dit Gustave.
«Fais attention, avec ton gros ventre, je ne sais pas
si tu vas pouvoir grimper dans ton arbre!»